Dawns
yr Eliffantod
Taith i India

I Till, Vanessa, Nicola a Hartmut gyda chariad – T. H.

I Jake – S. M.

Cyhoeddwyd yr argraffiad Saesneg cyntaf yn y Deyrnas Unedig yn 2004 gan Barefoot Books Ltd.,
124 Walcot Street, Caerfaddon, BA1 5BG
Teitl gwreiddiol: *Elephant Dance*
Argraffiad Cymraeg cyntaf 2008 gan Llyfrau Barefoot (Cymru) Cyf.,
Suite 112, 61 Wellfield Road, Caerdydd, CF24 3DG.

Cyhoeddwyd dan nawdd Cynllun Adnoddau Addysgu a Dysgu CBAC.

Cysodwyd y llyfr hwn yn Veljovic
Paratowyd y darluniau mewn acrylig

Dylunio graffeg gan Katie Stephens, Bryste
Atgynhyrchu lliw gan Grafiscan, Verona
Argraffwyd a rhwymwyd yn China gan Printplus Ltd.

Argraffwyd y llyfr hwn ar bapur cwbl ddi-asid.

ISBN   978-0-9552659-7-6

Mae cofnod ar gyfer y llyfr hwn ar gael o'r Llyfrgell Brydeinig

Dawns yr Eliffantod

Taith i India

testun gan **Theresa Heine**
addaswyd gan **Elin Meek**
lluniau gan **Sheila Moxley**

Llyfrau Barefoot
Dathlu Celf a Storïau

Pan ddaeth Tad-cu yn ôl o India roedd hi'n oer.
Aeth Anjali ati i wau sgarff goch wlanog iddo
ac aeth Ravi i nôl sliperi i gadw ei draed yn gynnes.
'Ydy hi'n boeth yn India, Tad-cu?' gofynnodd Ravi.

'Ydy'n wir, Ravi,' meddai Tad-cu.
'Mae'r haul yn hen greadur ffyrnig dros ben,
mae'n boethach na chant o danau coginio.
Gyda'r wawr mae'n rholio i'r awyr fel pelen o dân,
wedyn, mae'n agor ac yn troi'n deigr cynddeiriog!

Mae'n bwyta chilli coch i ginio.
Mae mor boeth a sychedig fel ei
fod yn chwyrnu a rhuo drwy'r dydd.
Yn y nos, pan fydd y sêr yn dechrau
disgleirio ar hyd y Llwybr Llaethog,
mae'n yfed powlen o laeth cnau coco,
ac yna mae'n cwympo i gysgu.'

Daeth Tad-cu ag anrhegion i bawb:

sari glas i Mam,

blwch sandalwydd i Dad,

breichledi arian i Anjali

a barcud coch ac aur i Ravi.

Aeth Tad-cu a Ravi â'r barcud i'r parc.

'Tad-cu,' meddai Ravi, 'sut mae'r gwynt yn India?'

'Pan fydd yn chwythu o ddiffeithdir y gorllewin, Ravi,
mae'n gryf. Fel ceffyl gwyllt, mae'n codi ar ei draed ôl a gweryru.
Mae'n cipio barcutiaid y plant ac yn mynd â nhw ar garlam,
y tu hwnt i'r bryniau a thros y cefnfor.

'Weithiau mae'r gwynt yn troi'n awel dyner.
Wedyn mae'n symud yn dawel drwy'r coed,
gan suo'r dail i gysgu.'

'A sut mae'r glaw?' gofynnodd Ravi, wrth iddyn nhw gysgodi
o dan y coed.

'Mae glaw'r monsŵn fel llen, yn arian fel breichledi Anjali.

Mae'n arllwys fel rhaeadr o'r awyr,

nes bod drychau dros y llawr i gyd.

Mae diferion y glaw yn gwibio fan hyn, fan draw

fel pysgod bach arian.

Pan fydd yr haul a'r glaw yn cwrdd

maen nhw'n gwneud enfys, sy'n

y – m – e – s – t – y – n

dros yr awyr!'

'Ydy'r enfys yn debyg i'r rhai
dw i'n eu gweld fan hyn?' meddai Ravi.
'Saith sari sidan wedi'u hongian dros yr awyr i sychu
yw enfys yn India, Ravi beta;
coch fel melon dŵr,
oren fel corbys,
melyn fel saffrwm,
gwyrdd fel paracît,
glas fel glas y dorlan,

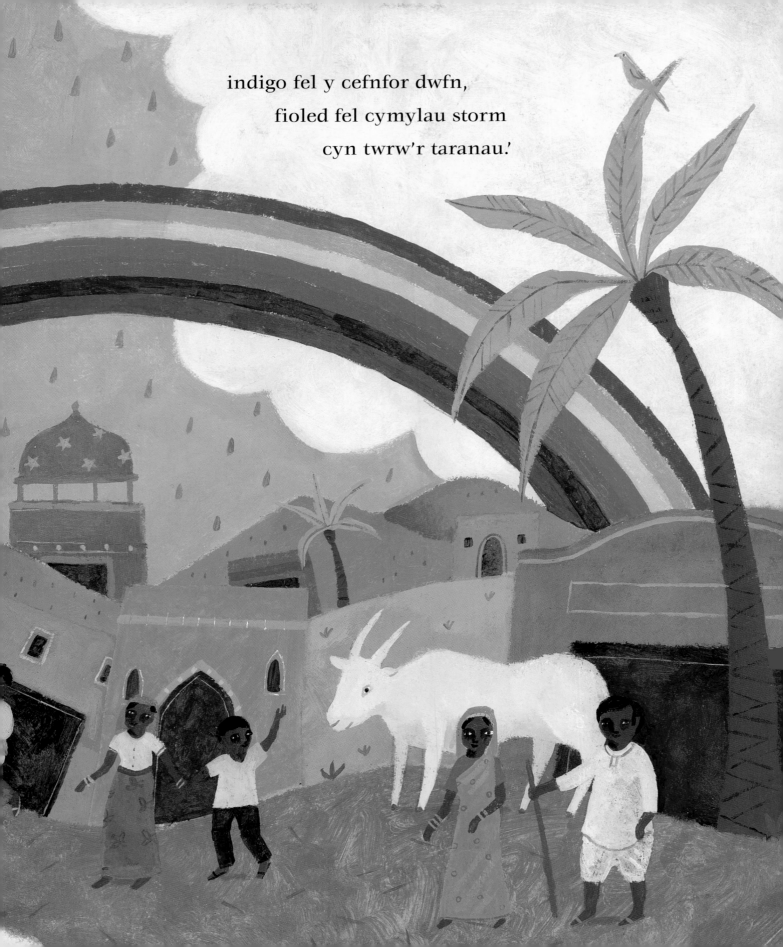

indigo fel y cefnfor dwfn,
   fioled fel cymylau storm
      cyn twrw'r taranau.'

Aeth Ravi â Tad-cu i siopa yn y farchnad.
Prynon nhw ghee a sinsir,
pysgod a chorbys,

iogwrt a chiwcymer,

a ffliwt bambŵ i Ravi.

STONDIN GERDD

FFRWYTHAU

'Oes eira yn India, Tad-cu?' meddai Ravi.

'Oes, Ravi. Yn uchel yn y gogledd mae mynyddoedd Himalaya.

Hufen iâ anferthol yw'r eira ar eu copaon,

yn oer a gwyn,

ac yn toddi ar dy dafod.

Mae'n cadw copaon y mynyddoedd yn oer

pan fydd teigr yr haul yn rhuo ganol dydd.'

Roedd hi'n amser swper a chyn pen dim roedd y gegin
yn llawn aroglau blasus.

Aeth Mam ac Anjali ati i goginio daal mewn sosban gyda
chlofau a chardamom.

Buon nhw'n ffrïo'r pysgod a'r winwns mewn ghee tan eu
bod nhw'n troi'n euraid.

Malodd Dad y twmeric, y coriander a'r cwmin,
a'u cymysgu â'r pysgod a'r iogwrt.

Aeth Anjali i nôl y reis a gosododd Ravi'r bwrdd.
Yna eisteddodd pawb i lawr i fwyta.

'Wyt ti wedi gweld eliffant erioed, Tad-cu?' meddai Anjali.

'Ydw'n wir,' meddai Tad-cu.

'Pan oeddwn i'n blentyn fel ti a Ravi,

gwelais eliffantod yn cerdded mewn gorymdaith ar ŵyl Diwali.

Roedd pob un yn cario howdah sidan, un glas fel y paun brenhinol.

Roedd tywysogion yn marchogaeth ar eu cefnau.

Roedd y strydoedd poeth dan eu sang,

ac roedd blodau ym mhobman;

garlantau o jasmin pêr a blodau tegwch y bore,

a hibisgws, a'u petalau lliw hufen a choch a melyn.

Rhoddon ni nhw y tu ôl i'n clustiau.

Buon ni'n bwyta losin gludiog o gnau coco ac almon

ac yn tanio tân gwyllt yn y stryd.

Clywson ni gân clychau a sain gongiau,

a churo llawer o ddrymiau.'

Aeth Ravi i nôl ei ffliwt a'i chwythu.

'Dw i wedi cyfansoddi dawns, Tad-cu – dawns yr eliffantod.'

Gwenodd Tad-cu.

'Mae hi'n ddawns arbennig o dda.

Rhaid i ti ymarfer yn gyson ac efallai,

ryw ddydd, fe fydd eliffant yn dawnsio i ti.'

PAKISTAN

TIBET

NEPAL

MÔR ARABIA

AFON GANGA (GANGES)

INDIA

CEFNFOR INDIA

Ar ôl swper, aeth Anjali i nôl pensiliau a phaent,
ac aeth hi a Ravi a Tad-cu ati i dynnu map.

'Mae siâp India,' meddai Tad-cu, 'fel clust eliffant.'

Tynnon nhw luniau teigrod a pheunod a
chrocodeilod, eliffantod, nadroedd a mwnciod.

Lliwion nhw afon Ganga a chopaon hufen iâ
mynyddoedd Himalaya.

Paention nhw'r diffeithdir yn y
gorllewin, fforestydd yr eliffantod
yn y dwyrain, a theigr mawr yr
haul yn y de.

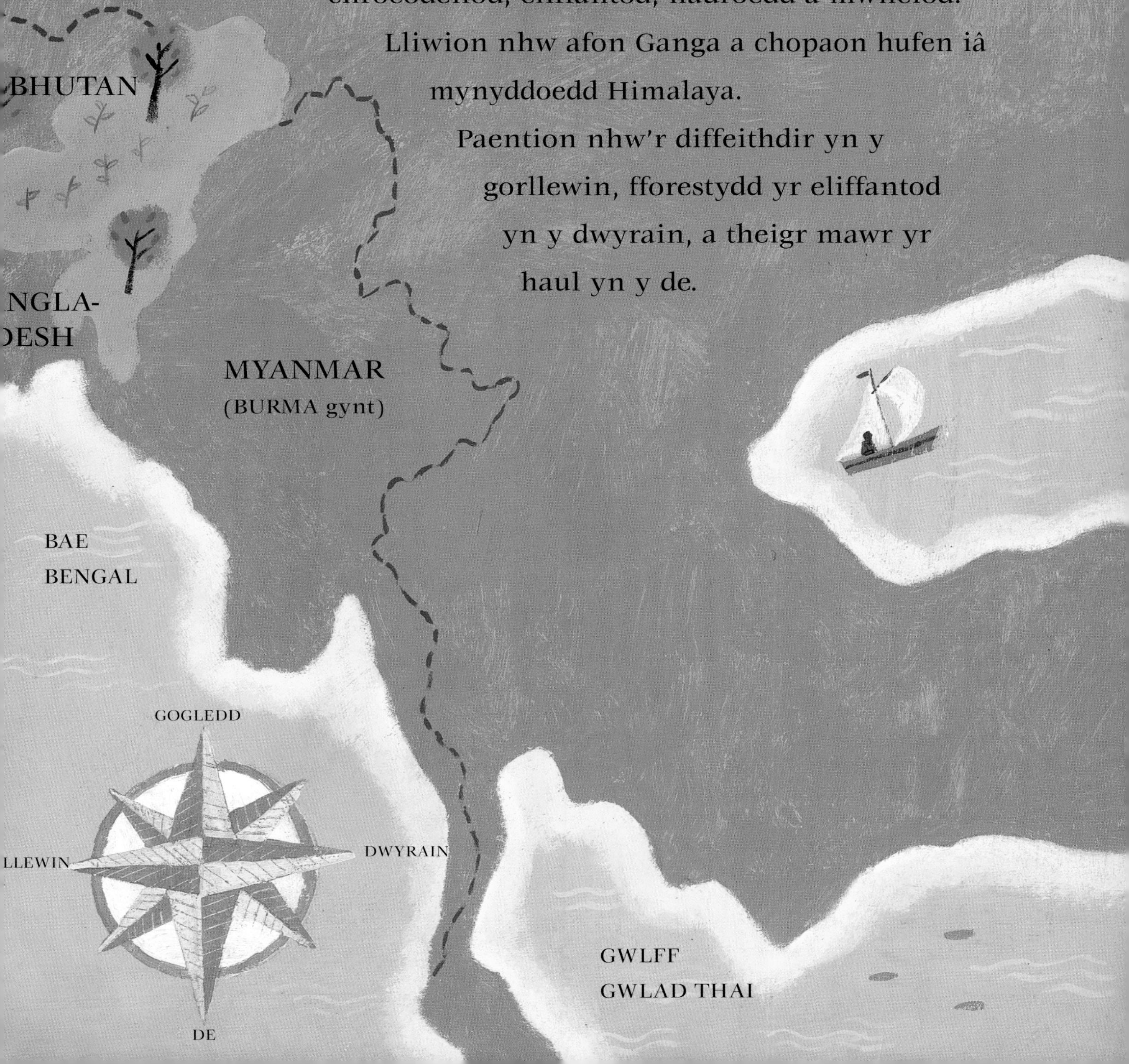

BHUTAN

NGLA-
DESH

MYANMAR
(BURMA gynt)

BAE
BENGAL

GOGLEDD

LLEWIN

DWYRAIN

DE

GWLFF
GWLAD THAI

'Tad-cu,' meddai Ravi, wrth iddo baratoi i fynd i'w wely.

'Wyt ti'n fy ngharu i?'

Rhoddodd Tad-cu ei freichiau am Ravi. 'Ravi beta,

rwyt ti'n gynnes fel gafr newydd ei geni,

yn feddal fel blodau jasmin coch,

yn felys fel sudd mango.

A dw i'n dy garu di'n fawr iawn.

Nawr mae hi'n bryd i ti gysgu.'

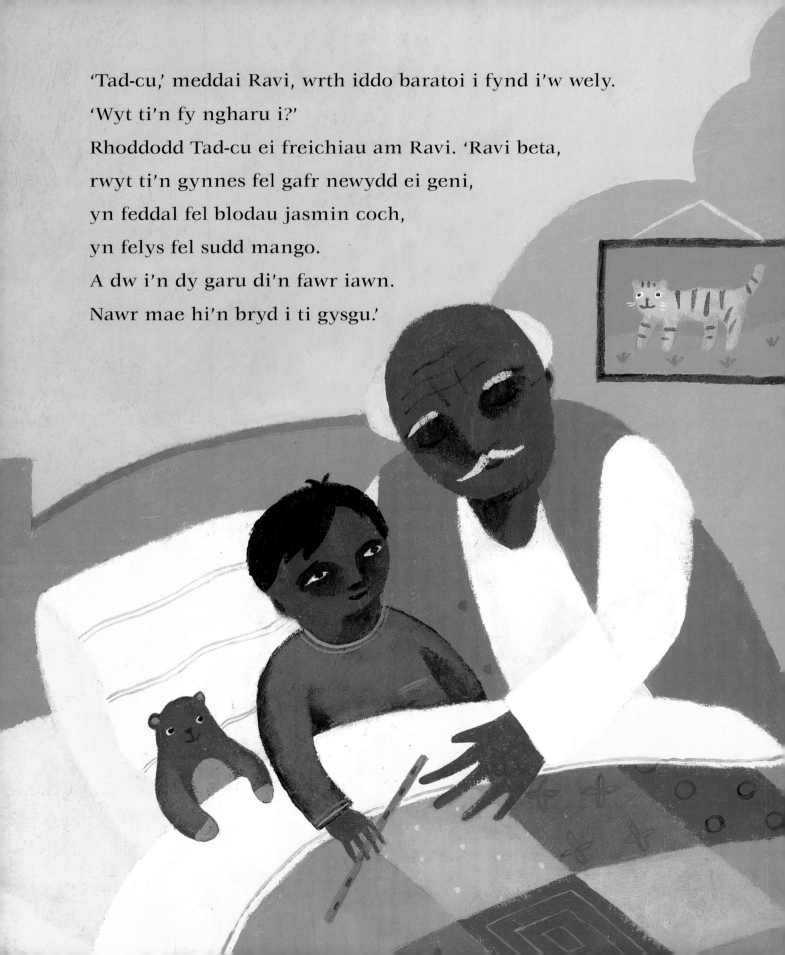

Cysgodd Ravi a breuddwydio am goedwig werdd, werdd
lle roedd golau'r lleuad yn disgyn fel nant arian.
Yng nghanol y gwair, liw nos, roedd eliffant mawr llwyd
yn siglo ei ben ac yn symud ei draed mawr.

Cododd Ravi ei ffliwt i'w wefusau
ac wrth iddo chwarae
gwelodd yr eliffant
yn dawnsio dawns fach ddistaw.

Dawns yr Eliffantod, gan Ravi

Byw yn India

Daearyddiaeth

Mae India yn Ne Asia, ac mae'n cynnwys y rhan fwyaf o isgyfandir India. O roi arwynebedd y tir a'r môr gyda'i gilydd, hi yw'r chweched wlad fwyaf yn y byd, gyda biliwn a mwy o bobl yn byw yno.

Yn India mae tri phrif dymor sy'n wahanol ym mhob rhanbarth. Mae'r tywydd oeraf o fis Rhagfyr i fis Chwefror. O fis Mawrth i fis Mai mae hi'n hynod o sych a phoeth. Daw glawogydd y monsŵn ym mis Mehefin. Bydd cyfnodau hir a thrymaidd o law poeth a llaith. Mae'r monsŵn yn symud i'r de yn ystod yr haf, o fis Mehefin tan fis Medi.

Cyfres o gadwyni o fynyddoedd yw'r Himalaya, sy'n ymestyn ar draws India, Nepal, Bhutan a Tibet. Mae mynyddoedd uchaf y byd yn yr Himalaya: Everest, K2 a Kanchenjunga.

Mae rhai o afonydd mwyaf y byd yn India, gan gynnwys afonydd sanctaidd Ganga (Ganges), Yamuna a Saraswati. Mae sôn am afon Ganga yn nhestunau sanctaidd yr Hindŵiaid ac mae hi'n bwysig iawn i'r grefydd Hindŵaidd. Yn aml, caiff babanod eu bedyddio yn ei dŵr a daw oedolion i yfed ac ymdrochi. Mae afon Saraswati wedi sychu bellach, ond roedd hi'n cael ei hystyried yn afon bwerus iawn yn yr hen amser.

India yw un o brif gynhyrchwyr gwenith, cotwm a reis. Mae gwenith yn rhan bwysig o fwyd Gogledd India, tra bod reis yn bwysig yn y De a'r Dwyrain. Dinasoedd mwyaf India yw New Delhi, sef ei phrifddinas a'i chanolfan wleidyddol, Mumbai, Calcutta a Chennai.

Crefydd a Diwylliant

Hindŵiaid yw'r teulu yn y stori hon. Hindŵaeth yw'r brif grefydd yn India, a'i phrif gred yw bod un Duw cyffredinol, a hwnnw ar ffurf nifer o wahanol dduwiau, rhai gwrywaidd a benywaidd. Mae'r rhan fwyaf o deuluoedd Hindŵaidd yn parchu tri duw'r drindod Hindŵaidd, neu Trimurti, sef Brahma, y Creawdwr, Vishnu, y Cynhaliwr, a Shiva, y Dinistriwr. Mae Hindŵiaid yn addoli cerfluniau o'r duwiau hyn. Maen nhw'n eu trochi mewn llaeth ac yn eu haddurno â blodau yn ystod defodau gweddïo. Mae pobl hefyd yn dilyn Şikhiaeth, Bwdhaeth, Islam, Cristnogaeth, Zoroastriaeth ac Iddewiaeth yn India.

Mae llawer o wyliau gan Hindŵiaid. Maen nhw'n dilyn calendr y lleuad, yn hytrach na chalendr yr haul. Yn aml bydd y dathlu'n ffrwydrad o liw a llawenydd. Caiff prydau bwyd coeth a bwydydd melys blasus eu paratoi a daw'r teulu a ffrindiau at ei gilydd i gydlawenhau.

Diwali, Gŵyl y Goleuadau, yw un o wyliau pwysicaf yr Hindŵiaid. Yn ystod Diwali, bydd teuluoedd Hindŵaidd yn goleuo lampau olew yn eu cartrefi i anrhydeddu Lakshmi, Duwies Cyfoeth. Maen nhw hefyd yn dathlu bod Tywysog Rama, arwr yr epig *Y Ramayana*, yn dychwelyd i'w gartref Ayodhya ar ôl bod yn alltud yn hir, a'i fuddugoliaeth dros Ravana, y Diafol Frenin.

Y lotws yw blodyn cenedlaethol India. Mewn dŵr bas yn unig mae'r blodyn llachar hwn yn tyfu, gyda'r dail a'r petalau'n arnofio ar wyneb y dŵr.

Mae gan India etifeddiaeth ddiwylliannol gyfoethog. Dyma gartref balch y Taj Mahal, un o Saith Rhyfeddod y Byd. Adeiladwyd y beddrod hardd hwn yn ystod Ymerodraeth y Mogyliaïd, gan ei phumed Ymerawdwr Shah Jahan, er cof annwyl am ei frenhines, yr Ymerodres Mumtaz Mahal. Cymerodd ddau ddeg dau o flynyddoedd i'w godi ac mae wedi dod yn un o'r delweddau enwocaf yn y byd.

Anifeiliaid India

Eliffant India

Mae eliffant India wedi bod yn symbol o India ers canrifoedd. Mae'n llai nag eliffant Affrica ac mae'n hawdd ei ddofi. Mae'n ddeallus iawn ac mae'n gallu cadw ei gydbwysedd yn rhyfeddol o dda. Yn yr haul poeth, mae'n defnyddio ei glustiau mawr fel gwyntyll, gan eu curo nhw i gadw'n oer a sugno dŵr drwy ei drwnc hir i gael cawod. Llysfwytawyr yw eliffantod India ac maen nhw'n bwyta llawer o blanhigion a ffrwythau. Ond maen nhw'n arbennig o hoff o bethau melys fel mango, cnau coco a chansen siwgr!

Yn y gorffennol, pan oedd y wlad wedi'i rhannu'n nifer o deyrnasoedd bychain, byddai eliffantod India'n cael eu defnyddio i gario aelodau o'r teuluoedd brenhinol. Maen nhw hefyd wedi'u defnyddio mewn coedwigaeth a hyd heddiw, maen nhw'n dal i helpu pobl i warchod fforestydd rhag potswyr. Hefyd maen nhw i'w gweld wrth demlau ac maen nhw'n dal i gael eu marchogaeth adeg gwyliau arbennig a phriodasau. Mae sôn am 'howdah' yn y stori, sef sedd fawr fel blwch y mae pobl yn eistedd arni yn ystod y gorymdeithiau hyn.

Teigr Bengal

Mae mwy o deigrod gwyllt yn India nag yn unrhyw ran arall o'r byd. Teigrod Bengal neu Deigrod India yw'r enw arnynt. Mae llawer llai nawr nag oedd gan mlynedd yn ôl, gan fod potswyr yn eu hela i gael eu ffwr a'u horganau.

Mae ffwr oren a streipiau du llachar teigrod yn ffurfio patrymau

sy'n unigryw i bob un teigr, fel olion bysedd pobl. Yn wahanol i gathod mawr eraill, mae teigrod yn dwlu ar ddŵr ac maen nhw'n dda iawn am nofio.

Cobra India

Neidr fawr wenwynig yw cobra India sy'n poeri gwenwyn pan fydd rhywun yn ymosod arni. Mae'n greadur pwysig yn y diwylliant Hindŵaidd, a chaiff Gŵyl y Nadroedd (Nagapanchami) ei chynnal ym mis Awst. Ar gyfer hyn, caiff cobras gwyllt eu cario i'r pentrefi i gael eu bwydo, ac mae cerfluniau bychain o'r neidr yn cael eu harddangos er mwyn i bobl eu haddoli.

Paun India

Y paun yw aderyn cenedlaethol India, ac mae pobl yn meddwl ei fod yn sanctaidd oherwydd ei fod yn cario'r duw Hindŵaidd Karttikeya. Dyma un o'r adar mwyaf y byd sy'n gallu hedfan, ac mae'n enwog iawn am ei gynffon hir o blu glas, euraid a gwyrdd llachar. Y gwryw'n unig sydd â'r gynffon hon, ac mae'n ei dangos i'r fenyw i'w denu.

Langwr Hanuman

Math o fwnci yw langwriaid Hanuman. Maen nhw'n cael eu parchu ledled India fel disgynyddion Hanuman, y duw mwnci. Mae langwriaid Hanuman i'w gweld ledled India, o fynyddoedd a choedwigoedd yr Himalaya i ddinasoedd prysur y de. Mae llawer o langwriaid Hanuman yn byw ger temlau Hindŵaidd, lle mae ymwelwyr yn eu bwydo'n dda. Maen nhw hefyd yn lladron crefftus!

Bwyd a Sbeisiau

Mae India'n enwog am fod yn 'wlad y sbeisiau', oherwydd yr holl wahanol flasau persawrus sydd yno. Dyma rai o brif gynhwysion bwyd India:

Daal

Term yw daal sy'n cael ei ddefnyddio am bob math o ffacbys, fel corbys, ffa dringo a gwygbys. Caiff y ffacbys hyn eu defnyddio i wneud saig fel stiw, hefyd o'r enw daal, gyda llawer o sbeisiau ynddo. Mae pobl weithiau'n coginio daal gydag amrywiaeth o wahanol ffacbys a chaiff ei weini gyda'r prif gwrs yn aml.

Sinsir (Aadrak)

Gwreiddyn yw sinsir sydd â blas pupur ysgafn arno. Mae'n sbeis aromatig iawn. Caiff ei roi mewn seigiau sawrus a hefyd mewn te Indiaidd rhag annwyd a ffliw. Hefyd dyma'r prif gynhwysyn mewn byrbrydau a diodydd fel torth sinsir a diod sinsir.

Saffrwm (Kesar)

Mae saffrwm yn debyg i ddarnau o edau brau. Dyma sbeis drutaf y byd, sy'n dod o flodyn bach porffor, *Crocus Sativus*. Mae'n rhoi lliw melyn llachar i fwyd ac mae iddo flas cryf, gwahanol. Caiff ei ddefnyddio fesul tipyn bach mewn nifer o seigiau melys a sawrus yn India, a chaiff ei ystyried yn symbol o letygarwch.

Twrmeric (Haldi)

Mae'r sbeis hwn o liw melyn fel mwstard yn edrych yn debyg iawn i saffrwm a chaiff ei roi mewn cyri'n aml. Mae pobl yn credu ei fod yn lwcus ac mae'n cael ei ddefnyddio mewn defodau gweddïo (pooja) ac mewn priodasau, pan fydd menywod yn ei roi ar eu dwylo a'u hwynebau.

Chilli Coch (Lal Mirchi)

Mae chilli'n blasu cyn boethed ag y mae'n edrych! Mae chilli coch yn rhoi blas a gwres i seigiau poblogaidd India fel cyri a daal.

Menyn Gloyw (Ghee)

Menyn sydd yn hanner hylif yw ghee, lle mae solidau'r llaeth a'r dŵr wedi cael eu tynnu drwy dwymo a hidlo. Caiff ei ddefnyddio'n aml yn lle olew wrth goginio ac mae'n rhan bwysig o seigiau melys a sawrus India.

Mango (Umbri)

'Brenin y Ffrwythau' yw'r enw ar fango yn India. Mae gan y ffrwyth melyn llachar gnawd melys blasus sy'n aml yn cael ei ddefnyddio mewn kulfi, hufen iâ India y mae blas saffrwm, almon a llaeth arno.